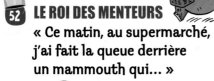

S0-ADD-798

de Tartine

Page 57

Les aventures de BOULE et BILL

Sommaire

N° 195 Mai 2010

Ce numéro comporte une planche de vignettes autocollantes posée sur une partie des exemplaires abonnés. Un encart d'abonnement JE LIS DES HISTOIRES VRAIES est broché sur la partie kiosque France.

1564
Mort de l'artiste italien Michel-Ange.

1609
Galilée construit une lunette astronomique.

Histoires Vraies

Galilée
LE PLUS GRAND ASTRONOME DU 17e SIÈCLE

1594
Shakespeare finit d'écrire Roméo et Juliette.

1580
Montaigne publie ses Essais.

1610 :
mort d'Henri IV.

L'ASSASSINAT
D'HENRI IV

Un récit de Béatrice Nicodème, illustré par Jazzi

LES PERSONNAGES

Henri IV

François Ravaillac

Paris, le 14 mai 1610. Le carrosse d'Henri IV est bloqué dans une rue étroite. Un homme grimpe sur le marchepied, brandit son poignard et frappe le roi de plusieurs coups mortels. L'assassin s'appelle Ravaillac et prépare son crime depuis plusieurs mois...

CHRONOLOGIE

- **13 décembre 1553** Naissance d'Henri IV, né Henri de Bourbon, à Pau. Il est élevé par sa mère dans la religion protestante, qui s'est diffusée depuis vingt ans en France.

- **Dès 1562** Les violences se multiplient entre catholiques et protestants. Début des guerres de religion.

- **Août 1572** Mariage avec Marguerite de Valois. Massacre de la Saint-Barthélemy. En une nuit, plus de 3 000 protestants sont tués à Paris.

- **1589** Henri IV devient roi de France.

- **1593** Le roi se convertit au catholicisme.

- **Avril 1598** Henri IV signe l'édit de Nantes, qui autorise les protestants à pratiquer leur religion. Il met fin provisoirement aux guerres de religion.

- **1600** Mariage avec Marie de Médicis.

- **1601** Naissance de leur fils, le futur Louis XIII.

- **14 mai 1610** Henri IV meurt à Paris, assassiné par un inconnu, François Ravaillac.

1

Le très méchant et très abominable

Une foule immense est massée sur la place de Grève[1] et dans les rues avoisinantes. Elle continue à arriver de toutes les directions et même des villages proches de Paris. En ce 27 mai 1610, pas un noble, pas un bourgeois, pas un valet ni un va-nu-pieds ne voudrait manquer le spectacle.

– Qu'est-ce que tu fais ici ? demande une mère au gamin qui vient de se glisser près d'elle. Je t'avais dit de rester à la maison !

– Mais tu m'as laissé venir, la dernière fois !

– Aujourd'hui, c'est différent. Cet homme a commis le pire des crimes, son supplice va être épouvantable.

– Qu'est-ce qu'il a donc fait ?

– Il a poignardé notre roi bien-aimé.

Bouche bée, le garçon se hausse sur la pointe des pieds pour tenter d'apercevoir le monstrueux criminel. Un homme le saisit sous les bras et le soulève bien haut. Le gamin a juste le temps d'apercevoir, sur une charrette au milieu de la foule, un grand gaillard aux cheveux

1. Aujourd'hui, place de l'Hôtel-de-Ville, au centre de Paris.

7

fauves et à la carrure d'athlète. Il voit aussi l'échafaud, entouré d'archers en uniforme bleu et de gentilshommes à cheval, et les nobles qui se pressent aux fenêtres de l'Hôtel de Ville. Mais l'homme l'a déjà remis par terre, il doit donc se contenter d'entendre les vociférations de la foule qui couvrent la prière du prêtre venu assister le misérable.

– Pas de prières pour un damné ! En enfer, l'abominable !

Le « très méchant et l'abominable », c'est ainsi que les juges ont qualifié le crime de lèse-majesté[1] commis par le nommé Ravaillac.

1. Crime contre un souverain.

On ligote le condamné sur une claie[1], on lui coupe la main qui a tenu le couteau, puis on lui fait subir toutes sortes de tortures. Tout au long de cet effroyable supplice, le misérable ne pousse pas un cri, c'est à peine si on l'entend gémir de temps à autre. Il se contente de demander pardon à Dieu et de répéter qu'il a agi seul, sans complices.

– Il devait être fou, soupire la mère du gamin en faisant un signe de croix. Ne dit-on pas que les cheveux roux sont la marque du diable ?

1. Structure en bois sur laquelle s'étendaient les condamnés à être suppliciés.

❷

Quelques mois auparavant...

Qu'il fait froid à Paris! Engoncé dans son pourpoint vert, François Ravaillac bat le pavé près de l'entrée du Louvre. Deux fois déjà, il s'est avancé vers le palais, décidé à parler au roi. Les gardes l'ont mis dehors sans ménagement, mais il n'a pas fait quinze jours de marche depuis Angoulême en plein mois de décembre pour renoncer à la mission que Dieu lui a confiée!

Une fois encore, il se présente devant la grande porte.

– J'ai des choses très graves à confier au roi, il faut qu'il me reçoive!

Exaspérés, les gardes le fouillent longuement, sans qu'aucun d'entre eux ne sente la légère bosse que forme le couteau attaché avec soin le long de sa jambe.

– On va vous conduire auprès de notre chef, bougonne l'un d'eux.

Mais le capitaine des gardes ne veut rien décider sans être allé prendre l'avis du roi. En attendant son retour, Ravaillac a du mal à contenir son angoisse. Il ferme les yeux pour tenter de faire taire les voix qui le

poursuivent nuit et jour : « Le roi n'est pas digne de gouverner la France, il ne mérite pas son surnom de Très Chrétien ! S'il n'écoute pas tes conseils, François, tu devras agir ! »

Des bruits de pas. Le capitaine est de retour, il exige une nouvelle fouille. Ravaillac se croit perdu, cette fois ils vont sûrement trouver le couteau…

Mais non ! On le renvoie en lui interdisant de remettre les pieds au Louvre.

– Vous avez de la chance que Sa Majesté se soit opposée à votre arrestation, remarque le capitaine.

« Le roi est bien imprudent, songe Ravaillac. Si les gardes avaient trouvé mon couteau, j'aurais passé le reste de mes jours au fond d'un cachot. Mais cela ne s'est pas produit, c'est bien la preuve que Dieu me protège ! »

Il lui arrive pourtant de douter. Devra-t-il vraiment tuer le roi si celui-ci ne veut pas entendre ses conseils ? Le régicide[1] n'est-il pas un péché ?

Tracassé, il va se confier à un prêtre, à qui il parle des ordres terribles que lui soufflent ses voix.

– Oubliez tout cela, mon fils ! se contente de répondre

1. Auteur d'un attentat ou d'un meurtre sur un souverain.

le prêtre. Priez Dieu, mangez de bons potages, et retournez chez vous.

« Quel imbécile ! se dit Ravaillac. Il ne mesure pas le danger que court le royaume. »

Une nouvelle occasion se présente quelques semaines plus tard. Alors qu'il commençait à désespérer, Ravaillac aperçoit le carrosse royal près du cimetière des Innocents[1]. Il se précipite à la portière en vociférant :

– Sire, au nom de Notre Seigneur Jésus-Christ et de la Vierge Marie, qu'il me soit permis de dire un mot à Votre Majesté !

Mais les valets le repoussent à coups de canne et le carrosse s'éloigne dans un nuage de poussière.

« Le sort en est jeté, décide Ravaillac. Le roi refuse de m'écouter, il va s'obstiner dans son infâme projet... Qu'il meure ! »

1. Le cimetière de l'église des Saints-Innocents, qui était le plus grand de Paris, se trouvait dans le quartier actuel des Halles. Il fut détruit sous Louis XVI pour des raisons d'hygiène.

3
Allez de l'avant, Sire !

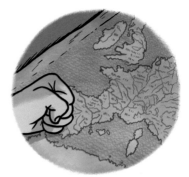

Pourquoi Ravaillac s'apprête-t-il à assassiner Henri IV ? Quel est cet infâme projet dont il parle ? La guerre contre l'Autriche et l'Espagne. Depuis des mois, le roi en discute avec son ami de toujours, le duc de Sully[1].

– L'Autriche et son alliée l'Espagne sont trop puissantes, elles représentent un immense danger pour la France, déclare le roi. Je suis convaincu qu'avec l'aide de l'Allemagne nous pouvons les vaincre et dominer l'Europe. Avez-vous des moyens suffisants pour poursuivre une guerre qui risque d'être longue ?

– Si vous n'avez pas besoin de plus de quarante mille hommes, répond Sully, alors je peux vous fournir ce qu'il vous faut sans augmenter les impôts.

– C'est parfait. Si nous ne manquons point d'argent, je ne manquerai ni d'hommes ni de courage, ventre-saint-gris !

– Je n'en doute pas, Sire. Il n'y a rien de grand que je ne croie et que je n'attende de vous.

1. Sully était surintendant des Finances, des Bâtiments et des Fortifications, grand maître de l'Artillerie et responsable des Ponts et Chaussées.

Alors le roi frappe dans ses mains, les yeux brillants d'excitation.

À bientôt 57 ans, ce n'est certes plus un jeune homme. N'ayant jamais mesuré sa peine ni son plaisir, il a des crises de goutte[1] qui assombrissent parfois son humeur. Mais il est toujours resté un Béarnais vigoureux, autoritaire, vif d'esprit et gourmand de tout.

Son ministre partage avec lui l'intelligence et la persévérance. D'une bravoure sans limites, fidèle depuis près de quarante années, le duc de Sully l'a suivi dans toutes ses guerres en lui donnant toujours des conseils

1. Maladie qui provoque de violentes douleurs, en particulier dans les jambes.

avisés. Ce n'est pas maintenant qu'il va le lâcher. D'ailleurs, étant lui-même protestant, il est ravi que la France s'allie avec l'Allemagne calviniste[1] contre l'Autriche et l'Espagne, toutes deux catholiques.

Cependant, les Français redoutent la guerre, et le pape verra sûrement d'un très mauvais œil que le roi de France s'attaque à des pays catholiques.

Aussi Henri IV repousse-t-il sans cesse le moment de se lancer dans l'aventure. Mais Sully ne l'entend pas de cette oreille.

– Vos intentions sont pour le bien de tous, Sire, il ne faut pas hésiter !

Bien entendu, il ignore que ces projets de guerre vont être la cause de la mort du roi. Non pas sur le champ de bataille, mais sous les coups de poignard d'un exalté.

Car François Ravaillac, fervent catholique, ne peut accepter l'idée qu'on fasse la guerre à des pays qui pratiquent la même religion que lui. Comme tous les Français, il sait que le roi a été élevé par une mère protestante et qu'il s'est battu contre les catholiques

1. Doctrine protestante développée par Jean Calvin en 1536.

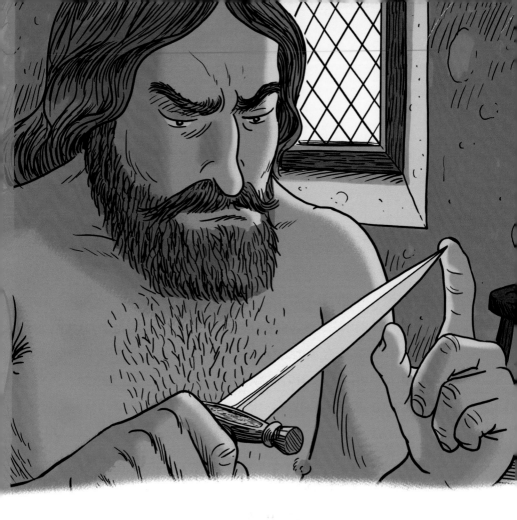

pendant les guerres de religion[1]. C'est évident, pense-t-il, Henri IV ne s'est converti au catholicisme que pour pouvoir monter sur le trône. Mais il n'était pas sincère, et maintenant il veut attaquer l'Espagne et l'Autriche ! Jusqu'où ira-t-il si on le laisse faire ? Ne va-t-il pas renier sa religion et persécuter les catholiques ? Plutôt commettre un régicide que prendre un tel risque !

1. Guerres entre protestants et catholiques qui ont déchiré la France entre 1562 et 1598.

4
Ce sacre
ne me plaît pas!

Un jour, enfin, Henri IV annonce à son ami et conseiller:
– Ma décision est prise. Ce sera la guerre!
Sully est enchanté. Peu lui importe que Sa Majesté se soit décidée pour une raison qui n'a rien de militaire! Le roi, qui n'est pas très heureux avec la reine Marie de Médicis, est tombé passionnément amoureux de Charlotte de Montmorency, princesse de Condé. Or le mari de la jeune femme, à qui cela ne plaît guère, l'a éloignée de Paris pour la mettre sous la protection de l'Espagne. Henri ne peut supporter l'idée de ne plus jamais revoir Charlotte… Il ne lui reste qu'une solution: déclarer la guerre à l'Espagne, remporter la victoire et récupérer Charlotte!

Tout comme le duc de Sully, il est loin d'imaginer que sa décision va pousser au meurtre le grand gaillard venu d'Angoulême que le capitaine des gardes a un jour mis dehors. D'ailleurs, il a oublié cet incident, quoiqu'il commence à être inquiet. Il a tant d'ennemis!

Les seigneurs le trouvent trop autoritaire. Les catholiques le soupçonnent de ne s'être converti que par intérêt. On lui reproche mille choses : sa tiédeur religieuse, son amour des femmes et du jeu, sa langue acérée, son langage grossier, l'argent qu'il dépense pour lui et celui qu'il ne dépense pas pour les autres...

Plus d'une fois il a failli tomber sous les coups d'un assassin. Quelques années auparavant, alors qu'il se promenait à cheval dans Paris, un inconnu l'a attrapé par son manteau et a brandi un poignard. Un autre jour, la police a découvert une poupée de cire modelée à son effigie[1] dans laquelle des misérables enfonçaient

1. À son image.

des aiguilles en jetant des sorts. Les tentatives d'assassinat ne se comptent plus.

Depuis quelques mois, les mauvais présages se sont accumulés. Un astrologue a conseillé au roi de se méfier du 14 mai. À cette date, selon lui, à 4 heures de l'après-midi, un grand prince périra dans son carrosse sous le

poignard d'un assassin. Le roi a beau se moquer de l'astrologue, il ne peut plus monter dans son carrosse sans penser à sa prédiction. Et puis la reine fait parfois des cauchemars. Une nuit, elle s'est réveillée en hurlant, elle avait rêvé qu'on donnait un coup de couteau à son mari. Le roi l'a rassurée, s'est rendormi… et a fait un cauchemar à son tour : une maison de la rue de la Ferronnerie s'était effondrée sur lui et il ne parvenait pas à se dégager... Enfin il y a eu cet arbre magnifique

qui est tombé dans le jardin du Louvre, d'un seul coup, sans raison, un arbre qui se trouvait devant la chambre de Sa Majesté…

Le roi s'efforce d'oublier tout cela car il doit préparer et la guerre et le sacre de la reine, prévu pour le 13 mai[1].

– Ce sacre ne me plaît pas, ne cesse-t-il pourtant de répéter. Quelque chose me dit qu'il m'arrivera malheur !

1. Lorsque Henri IV est monté sur le trône, en 1594, il n'était pas encore marié avec Marie de Médicis. Elle réclama longtemps d'être couronnée reine, et la date de l'événement avait enfin été fixée au 13 mai 1610.

5
Le 14ᵉ jour de mai

Le sacre a eu lieu hier en la basilique de Saint-Denis et le roi s'y est montré fort joyeux. Ce matin, pourtant, ses angoisses reviennent l'assaillir.

– Je mourrai un de ces jours, dit-il à ses amis, et vous saurez alors ce que je valais.

Cependant il dîne[1] comme à son habitude, c'est-à-dire fort copieusement, puis il plaisante avec son épouse avant d'aller s'allonger un moment.

À 3 heures, il fait apprêter son carrosse pour rendre visite au duc de Sully qui est malade. Au moment de partir, il ressent soudain un étrange vertige. Il décide cependant de ne pas s'en inquiéter et il sort comme il l'a décidé, dans un Paris ensoleillé où la Seine miroite de toutes ses lumières.

Quelques minutes plus tard, entourée de gentilshommes à cheval et de valets de pied, la voiture royale tourne dans la rue de la Ferronnerie. Deux charrettes obstruent le passage, comme c'est souvent le cas dans les rues étroites de la capitale. Les valets de pied tentent de faire libérer le passage, tandis que les gentilshommes à cheval

1. Le dîner était le repas de la mi-journée, le souper, celui du soir.

s'arrêtent à l'entrée de la rue. Pour l'instant, rien d'inhabituel…

Mais un homme en pourpoint vert a suivi la voiture depuis qu'elle a quitté le Louvre. En voyant le carrosse s'arrêter, il comprend qu'il n'aura jamais de meilleure occasion. Il fend la foule et profite de l'absence des valets de pied pour grimper sur une borne en bordure de chaussée. S'agrippant d'une main à la portière, il se penche à l'intérieur de la voiture, brandit son couteau…

– Ah! Je suis blessé! dit le roi en levant un bras pour se protéger.

François Ravaillac frappe encore plusieurs fois. Avec une telle rapidité que personne n'a le temps de comprendre ce qui se passe.

– Qu'est-ce, Sire? demande l'un des compagnons du roi.

– Ce n'est rien, murmure le roi d'une voix faible.

Un flot de sang jaillit alors de sa bouche et il retombe en arrière, livide.

Un cri d'effroi sort de toutes les bouches.

– Le roi est mort!

On se précipite sur l'assassin, on le désarme, la foule est prête à l'exécuter sur-le-champ, mais l'entourage de Sa Majesté l'en empêche car il faut que l'homme soit jugé. Des ordres claquent, le cocher fouette les chevaux et la voiture rebrousse chemin pour regagner le Louvre à une vitesse folle. On étend le blessé, on cherche à le ranimer… Il est trop tard, le roi est mort.

6

Qui a vraiment assassiné Henri IV ?

François Ravaillac est remis entre les mains du gouverneur de Paris. On l'enferme dans un hôtel proche de la rue de la Ferronnerie, devant lequel la foule se presse pour l'apercevoir par une fenêtre. Puis on le transfère à la Conciergerie[1], où on l'interroge sans relâche. Il ne peut avoir agi seul, il doit bien avoir des complices qui l'ont averti des déplacements du roi !

– Non, je n'ai pas de complices, répond-il. Ce crime était ma seule volonté et je n'ai parlé de mon projet à personne.

– Il y a forcément quelqu'un qui vous a donné l'idée de vous attaquer à Sa Majesté ! Qui ? Nous voulons des noms !

Pour le contraindre à parler, on lui fait subir les tortures les plus affreuses, sans jamais parvenir à le faire revenir sur ses déclarations. Il ne regrette pas son acte, il est fier, au contraire, d'avoir accompli sa mission. Une seule fois il demande pardon à Dieu de ses fautes, reconnaissant qu'il a commis un acte contraire à sa volonté.

1. Une des prisons de Paris. C'est là que Marie-Antoinette sera emprisonnée en 1793.

Le jugement est rendu le 27 mai : « Ledit Ravaillac dûment atteint et convaincu du crime de lèse-majesté divine pour le très méchant, très abominable et très détestable parricide[1] commis en la personne du feu roi Henri IV, de très bonne et très louable mémoire... » Suit le détail du supplice qui lui sera infligé. Après la mort du condamné, sa maison natale sera détruite, son père et sa mère devront quitter le royaume pour n'y plus revenir, et toute sa famille renoncera au nom de Ravaillac qui ne sera plus jamais porté.

La guerre projetée par Henri IV n'eut pas lieu et son fils Louis[2] lui succéda à l'âge de 9 ans, sous la régence de Marie de Médicis, la reine devenue veuve au lendemain de son couronnement. Mais cela est une autre histoire...

FIN

1. Personne qui tue un souverain (ou un proche de sa famille).
2. Il s'agit de Louis XIII.

UN NOM PRÉDESTINÉ

Quand Ravaillac a poignardé Henri IV, le carrosse du roi était arrêté devant une auberge qui s'appelait : « Au cœur couronné percé d'une flèche ». Un drôle de hasard !

Hasard? Hé Hé! Non, sens de l'humour!

Interdit de séjour

Tu peux chercher dans l'annuaire de la Poste et sur Internet, tu ne trouveras pas un seul Ravaillac en France. Le nom fut interdit après l'assassinat d'Henri IV. Même la famille de François Ravaillac dut changer de nom de famille.

Le Vert-Galant

Ainsi surnomme-t-on parfois Henri IV. Un vert galant est un homme qui continue à séduire les femmes alors qu'il n'est plus tout jeune. Henri IV, qui n'était pas heureux avec Marie de Médicis, a toujours eu des maîtresses… et 14 enfants en quinze ans !

ENCORE EN GRÈVE ?

Pourquoi la « place de Grève » s'appelait-elle ainsi ? Parce que, située devant la Seine, elle était au XIIe siècle une simple grève, c'est-à-dire une plage de sable ! Elle est devenue le lieu où on exécutait les prisonniers et où se rassemblaient les chômeurs en quête de travail. Aujourd'hui, elle accueille l'Hôtel de Ville de Paris.

Stop au bois !

Pour limiter les incendies, l'édit de 1607 interdit de construire des maisons en bois. Et en avant la pierre de taille !

LA VIE D'HENRI IV

Premier roi de la dynastie des Bourbons, Henri IV (1553-1610) fut un monarque courageux, énergique et autoritaire tout comme, un siècle plus tard, son petit-fils Louis XIV.

© RMN

Protestant ou catholique ?

Né à Pau, le 14 décembre 1553, il grandit dans l'atmosphère troublée des guerres de religion opposant catholiques et protestants. Catholique à sa naissance, puis converti par sa mère au protestantisme, Henri de Navarre participa à ces guerres aux côtés des protestants. Le 24 août 1592, quand les catholiques assassinèrent plus de 3 000 protestants lors du massacre de la Saint-Barthélemy, il dut redevenir catholique pour rester en vie. Après quoi il retourna au protestantisme… auquel il dut renoncer encore une fois pour pouvoir être couronné roi, le 24 février 1594.

Henri IV accueilli chaleureusement par la population, lors de son entrée à Paris, le 22 mars 1594. Le soir même, il s'installe au Louvre.

Un travailleur infatigable

Une fois roi, il put se consacrer au redressement de la France, qui en avait grand besoin. Il était soutenu par son fidèle ami, le duc de Sully, qui réforma les finances, réussit à payer les dettes de la France et même à faire des économies. Sully fit également beaucoup pour l'agriculture.

Un des grands rêves d'Henri IV était de construire une Europe fondée sur l'égalité politique entre les États et la tolérance religieuse. Peut-être y serait-il parvenu si un certain Ravaillac ne l'en avait empêché en le poignardant, le 14 mai 1610.

L'assassinat d'Henri IV et l'arrestation de Ravaillac, vu par un peintre du XIXᵉ siècle.

RAVAILLAC AVAIT-IL DES COMPLICES ?

François Ravaillac a toujours juré que personne ne l'avait incité à assassiner le roi, qu'il n'avait agi que poussé par ses « voix » qui lui ordonnaient d'éliminer un ennemi des catholiques. A-t-il dit la vérité ?

Pendant des semaines il avait erré dans la capitale et tourné autour du Louvre. Il avait frappé à de nombreuses portes dans l'espoir qu'on l'aiderait à s'introduire dans le palais royal. Il s'était confessé à un prêtre, lui avait avoué ses désirs de meurtre. Est-il vraiment possible que personne n'ait été intrigué par son comportement ? Bien avant ce fatidique 14 mai, des bruits couraient déjà dans Paris. On disait que le tueur du roi était en ville, un drôle de bonhomme roux vêtu de vert.

Si le projet de Ravaillac avait été plus ou moins percé à jour, pourquoi n'a-t-on rien fait pour l'empêcher d'agir ? Nombreux étaient ceux qui souhaitaient ardemment que le roi meure avant d'avoir pu déclarer la guerre à l'Espagne. Les ennemis d'Henri IV ont-ils volontairement laissé Ravaillac commettre ce crime ? L'ont-ils renseigné sur les allées et venues du roi ? Si c'est le cas, ils n'ont pas été trahis, et Ravaillac a emporté leur secret avec lui. Si ce n'est pas le cas, ils ont simplement eu une chance incroyable que Ravaillac ait eu l'audace qui leur manquait.

LE PARIS D'HENRI IV

Henri IV, comme son oncle François Ier, fut un roi bâtisseur. Il lança de grands travaux pour améliorer les bâtiments de la capitale et faciliter la circulation. Et il y avait beaucoup à faire quand il monta sur le trône !

Le Paris de la Renaissance ressemblait encore beaucoup à celui du Moyen âge : ruelles sombres et étroites partant dans tous les sens, maisons délabrées, chaussées au milieu desquelles courait un ruisseau. Sous le règne d'Henri IV, Paris se transforma en un gigantesque chantier où surgissaient chaque jour de nouvelles maisons, où l'on voyait se dessiner des rues, apparaître des quais, pousser des jardins un peu partout.

Le Pont-Neuf

Ce pont, dont la construction avait commencé en 1578 sous le règne d'Henri III, ne fut achevé qu'en 1607, trois ans avant la mort d'Henri IV. C'était le seul pont à ne pas être couvert de maisons, car Henri IV voulait qu'il serve de promenade. Dès qu'il fut praticable, une foule y circula en permanence. après la mort du roi, on y plaça sa statue équestre, la première de Paris.

Le Pont-Neuf

Le Louvre

Henri IV y entreprit de grands travaux d'aménagement, car il voulait que ce soit le symbole de son pouvoir.

La place Royale

Devenue plus tard place des Vosges, la place Royale est l'une des plus belles réalisations de l'époque d'Henri IV.

© J. Isenmann / Francedias.com

L'hôpital Saint-Louis

Il fut construit en trois ans, et les premiers malades purent y être admis en 1618. Ils étaient six par lit ! On pouvait heureusement isoler les malades contagieux.

© Selva/Leemage

L'Hôpital Saint-Louis par Perelle, 1680.

En savoir PLUS

Pour être incollable sur la vie du roi Henri IV, poursuis tes lectures avec cette sélection de livres

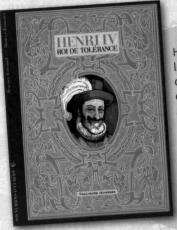

Henri IV, le roi le plus populaire de l'histoire de France et un roi de tolérance. *Henri IV, roi de tolérance,* **Béatrice Fontanel, illustré par Maurice Pommier Gallimard Jeunesse,** 18 €.

Un ouvrage de référence pour tout savoir sur l'histoire mouvementée des familles royales. *Rois et reines de France,* **Jean-Michel Billioud, Gallimard Jeunesse,** 24 €.

Ce livre vous fera découvrir l'homme d'État qui mit fin aux guerres de religion en France. *Henri IV,* **Aurélie Buron, l'école des loisirs,** 8,50 €.

+ UN NUMÉRO D'HISTOIRES VRAIES À LIRE

Alors que les noces de Marguerite de Valois avec Henri de Navarre, prince protestant, devaient sceller la paix, Paris va vivre en août 1572, le terrible massacre de la Saint-Barthélemy...

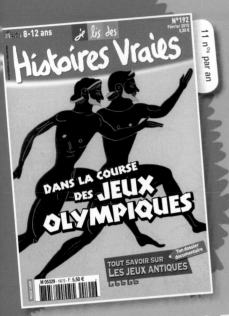
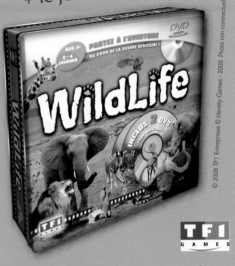

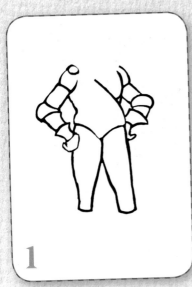

J'apprends à dessiner

Apprends à dessiner Henri IV en suivant ces six étapes.

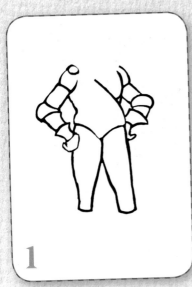

1

2

3

4

5

6

Le sais-tu ?

Henri IV changea à différentes reprises de religion !
Ce n'est pas par légèreté ou manque de respect, mais par tolérance.
De plus, pour lui, l'intérêt du royaume passait avant la religion.
Aussi pouvait-il répondre à ceux qui l'interrogeaient :
"Ceux qui suivent tout droit leur conscience sont de ma religion,
et moi je suis de celle de tous ceux qui sont braves et bons."

MOTS CROISÉS

Horizontalement

1. Au musée Grévin, les stars sont dans cette matière.
2. Tu te réveilles de ce mauvais rêve en pleurs.
3. Ce combustible noir est brûlé dans certains poêles.
4. Il dit la messe.
5. À minuit, celui de Cendrillon se transforme en citrouille.
6. Cette résidence des rois est devenue le plus grand musée de France.
7. C'est le pays des tapas et des castagnettes.
8. Si tu veux l'utiliser, enfile le fil dans son chat.
9. Tu en es un si tu aimes bien manger.

Verticalement

1. On l'appelle cumulus, nimbus ou cirrus selon sa consistance.
2. Le condamné à mort y monte pour être guillotiné.
3. Ce soldat a pour arme un arc.
4. Son épouse est la duchesse.
5. Comme la soupe, il fait grandir !
6. Marie de Médicis a été sacrée dans celle de Saint-Denis.
7. Tel Nostradamus, il prédit l'avenir grâce au système solaire.
8. En ce mois, on célèbre Noël.
9. Pour les rois et les reines, cette cérémonie religieuse était la consécration.

Aide-toi des lettres en couleur dans la grille pour répondre à cette question:

De quel mollusque Henri IV était-il friand ?

LA SOIRÉE DU ROI

Retrouve les cinq personnes qui ont un élément du costume d'Henri IV.
Compte le nombre de dessins
de lys cachés dans la scène.

LE SAIS-TU ?

Le cérémonial du repas du roi sera à peu près le même jusqu'à la Révolution. Entre deux services, le roi travaille. De nombreux plats sont servis en même temps et tous les convives mangent avec leurs doigts. La fourchette ne sera vraiment utilisée qu'au XVIIIe siècle.

L'ÉNIGME DU PLATEAU : comment couper le pain d'épices en huit tranches égales en seulement trois coups de couteau ?

• • • Solutions page 56

HISTOIRE D'ANIMAUX

Mais que regarde donc le petit Louis XIII ? Trouve les cinq lettres les plus utilisées dans les noms de rois de France, écrits sur les étiquettes. Tu sauras ce qu'Henri IV aimait bien chasser.

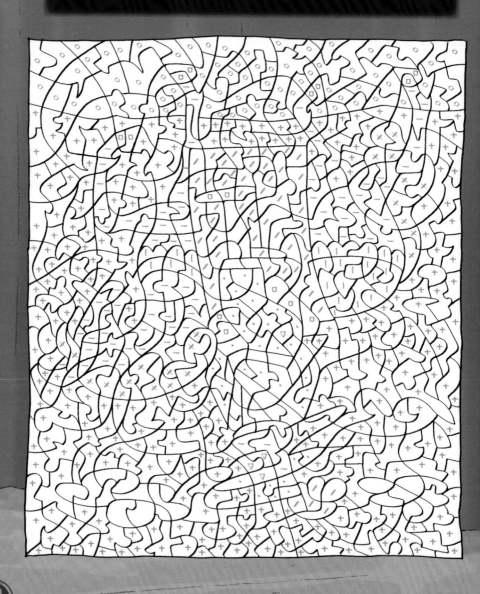

Henri IV est un roi de légende, très populaire. On le surnomme « le bon roi Henri » ou « Henri le Grand ».

C'était aussi un bon vivant qui avait coutume de dire qu'il avait trois plaisirs : la guerre, la chasse, l'amour.

C'était un des meilleurs cavaliers du royaume, capable de rester sur un cheval quinze heures !

François

Louis

Clovis

Napoléon

Henri

QUI DIT QUOI ?

• • • Solutions page 56

Redonne à chacun sa bulle.
Chaque personnage a un accessoire ou un vêtement en commun avec un autre, sauf un. Trouve-le.

• • • Solutions page 56

Le Roi des Menteurs

Azwan
la reine des menteurs !

Bravo, les menteurs, pour vos mammouths qui font les courses !

« Ce matin, au supermarché, j'ai fait la queue derrière un mammouth, qui...

... qui m'a demandé de lui garder sa place le temps qu'il aille chercher des glaces.

Azwan, 11 ans, 29600 Morlaix

Grosse faim !

... avait acheté 10 tonnes de céréales. Alors, je lui ai demandé :
« Famille nombreuse ? »
« Non, m'a-t-il répondu, Gros appétit ! ».

Pierre 9 ans, 29200 Brest

Cadeau !

Bravo, Azwan !
Amuse-toi bien avec
ce super-jeu de société !

Les autres gagnants reçoivent un DVD « Fred & Jamy racontent » Les bâtisseurs de cathédrales, François Ier...

SANS AVOCAT!

... qui m'a dit : « Ici, c'est comme au tribunal : je n'ai rien trouvé pour ma défense. »

Rémi, 10 ans, 53100 Mayenne

En solde!

... m'a demandé : « Savez-vous où il y a un magasin de fourrure, la mienne commence à se faire vieille ! » **Louise, 10 ans, 55400 Étain**

Déguisement!

... achetait du lait pour ses petits. Je lui ai demandé : « Ça vit encore les mammouths ? » « Chut ! Je ne veux pas que l'on me reconnaisse. D'habitude, je suis déguisé en éléphant. »

Margot, 11 ans, 13820 Ensuès-la-Redonne

Invente la suite de ce mensonge

« En me promenant dans la forêt, j'ai entendu un champignon qui disait... »

et envoie ton texte avant le 5 mai à :

Le roi des menteurs
34, rue du Sentier
75002 Paris

Dis, tonton Hubert, quand tu dis que j'écris comme un pied, ça veut dire quoi ?

Les Bobards

L'ogre écri

C'est le pied d'être écrivain : pas besoin de se lever le matin...

Le problème dans les histoires, c'est d'arriver à retomber sur ses pieds...

Je suis à pied d'œuvre depuis ce matin, et je n'ai toujours pas réussi à pondre une page !

DRING ! DRING !

Si on vient me casser les pieds, ce n'est pas étonnant que je n'y arrive pas !

Dis donc, tu fais une tête de six pieds de long !

On dirait que tu t'es levé du mauvais pied !

Vous n'avez donc rien à me dire ?

Tu nous coupes l'herbe sous le pied : vu ton humeur, on n'a vraiment rien à te dire !

d'Hubert
omme un pied!

Allez, ne prends pas ce que je dis au pied de la lettre. Écoute bien cette histoire.

Attendez ! Je vous explique : j'ai trouvé un nouveau travail !

Ah bon ? T'as enfin trouvé chaussure à ton pied ?

Mes amis, je suis écrivain !

C'est au pied du mur qu'on voit le maçon ! T'as écris combien de livres ?

Je travaille d'arrache-pied, mais le problème, c'est que j'écris comme un pied !

Et pourquoi tu ne copies pas sur les autres ?

Ah, ça c'est une super idée !

Fais gaffe, ne prends pas ce que dit Renard au pied de la lettre !

Plusieurs mois plus tard...

Il suffisait de changer Oui-Oui en Non-Non... Ça c'est un beau pied de nez !

© Scénario Nathalie Kuperman • Illustration Pronto

Pour connaître le sens des expressions, tourne vite la page.

Le lexique d'Hubert

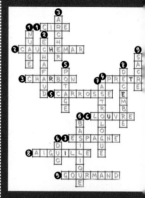

Pour mieux comprendre les expressions des Bobards...

- **C'est le pied**
  C'est génial

- **Retomber sur ses pieds**
  Retrouver son équilibre

- **Être à pied d'œuvre**
  Être prêt

- **Casser les pieds**
  Être pénible

- **Faire une tête de six pieds de long**
  Bouder

- **Se lever du mauvais pied**
  Être de mauvaise humeur dès le matin

- **Couper l'herbe sous le pied**
  Devancer quelqu'un

- **Trouver chaussure à son pied**
  Trouver exactement ce qui nous correspond

- **C'est au pied du mur qu'on voit le maçon**
  On reconnaît un spécialiste devant la difficulté

- **Travailler d'arrache-pied**
  Travailler très dur

- **Faire un pied de nez**
  Se moquer en faisant le geste de mettre son pouce sur son nez, main ouverte

Bulle 1 : APRÈS CE QUE JE VIENS DE MANGER... ÇA NE SERAIT PAS RAISONNABLE... JE VAIS LE GARDER POUR PLUS TARD !...

Bulle 2 : ÇA VA PAS LA TÊTE !! PAS DE ÇA DANS MON SALON !!

Bulle 3 : ÇA VA PAS LA TÊTE !! PAS D'OS DANS MON CARTABLE !!

Bulle 4 : ÇA VA PAS LA TÊTE !! PAS DE DÉTRITUS DANS MA VOITURE ! CLAC

Bulle 5 : OÙ VAIS-JE POUVOIR RANGER CET OS ?

Bulle 6 : UNE TAUPINIÈRE ?!

Bulle 7 : ET HOP !

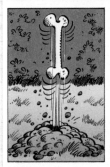

Bulle 8 : ÇA VA PAS LA TÊTE !!... TOC TOC TOC

Bulle 9 : ...PAS D'OS CHEZ MOI !

Bulle 10 : BON, BEN IL NE ME RESTE PLUS QU'UNE SOLUTION !...

Courrier

Bonjour !

Je suis une lectrice très fidèle (ça fait ma troisième année que je suis abonnée à votre magazine... Je ne m'en lasse pas !) et j'adore vos numéros. Ils sont super bien faits et complets, toutes les informations sur les sujets y sont ! J'ai beaucoup aimé le numéro sur l'inondation de Paris, en 1910. J'ai appris plein de choses !!! Merci encore pour ce que vous faites, j'ai beaucoup de plaisir à lire votre magazine !

Esther, 12 ans, 78790 Septeuil

Le **Poème** d'un **Lecteur**

Romain
11 ans, 13000 Marseille

Histoires vraies,
Ça fait rêver !
Avec ses histoires, ses BD,
ses documents,
ses évidences,
confidences, confidences...
Vous qui m'en apprenez chaque mois,
maintenant, c'est moi
qui vais vous en apprendre :
Histoires vraies, ça fait rêver !

Florencia, 11 ans
01210 Ferney-Voltaire

Toi aussi, tu as envi
de nous parler
d'un livre, d'une BD
d'un film ? Vite, vite
fais-nous partage
tes coups de cœur

TOI AUSSI, ÉCRIS-NOUS VITE !

Dis-nous si tu as aimé ce numéro, envoie-nous
tes plus beaux dessins, pose toutes tes questions...
N'oublie pas de préciser ton nom, ton âge, ton adresse
et de glisser ta photo (avec l'autorisation de tes parents) dans l'enveloppe.

NOTRE ADRESSE : 34, rue du Sentier, 75002 Paris

OU PAR INTERNET : jldhv@fleuruspresse.com

Thibaut, 10 ans,
61200 Moulins-sur-Orne

J'ai adoré *Les derniers jours
de Jules César* (n° 190).
Grâce à vous, je me suis
acheté beaucoup de livres
sur le sujet.
**Jules, 8 ans et demi,
29280 Plouzané**

Bonjour, Histoires vraies !
J'adore votre magazine. Je suis abonnée depuis peu, mais il y a
longtemps que je le lis. Mes numéros préférés sont *Vidocq* et
Les premiers pas sur la Lune. Je voulais vous demander de faire
un numéro sur mai 1968. C'est une histoire qui me passionne !
Grosses bises à toute l'équipe !
Thaïs, 13 ans, 66000 Perpignan
Merci, Thaïs, pour ton message.
Ta suggestion n'est pas tombée dans l'oreille d'un sourd !

**Ton courrier a été sélectionné? Bravo!
Tu recevras bientôt un livre-surprise offert par la rédaction!**

59

Les aventures de Tartine

LE GÉNIE
AUX PETITS POIS

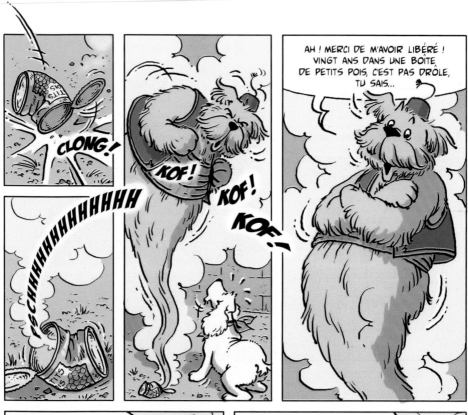

CLONG!

SCHHHHHHHHHHH

KOF!

KOF!

KOF!

AH ! MERCI DE M'AVOIR LIBÉRÉ !
VINGT ANS DANS UNE BOÎTE
DE PETITS POIS, C'EST PAS DRÔLE,
TU SAIS...

JE ME PRÉSENTE :
LE GÉNIE AUX PETIT POIS,
ENCHANTÉ !

EUH... SALUT,
MOI, C'EST TARTINE.

EH BIEN, TARTINE, TU AS DROIT
À TROIS VŒUX !

2

© Scénario Judith Peignen • Illustration Nadine van der Straeten